Ingo Siegner

Der kleine Drache Kokosnuss
und die Reise zum Nordpol

Ingo Siegner

Der kleine Drache Kokosnuss
und die Reise zum Nordpol

cbj

Kinder- und Jugendbuchverlag
in der Verlagsgruppe Random House

MIX
Papier aus verantwor-
tungsvollen Quellen
FSC® C043106

Verlagsgruppe Random House FSC® N001967
Das für dieses Buch verwendete FSC®-zertifizierte Papier
Condat matt Perigord liefert die Papier Union GmbH.

2. Auflage
© 2014 cbj, München
Alle Rechte vorbehalten
Umschlagbild und Innenillustrationen: Ingo Siegner
Lektorat: Hjördis Fremgen
Umschlagkonzeption: basic-book-design, Karl Müller-Bussdorf
hf · Herstellung: hag
Satz und Reproduktion: Lorenz & Zeller, Inning a.A.
Druck: Grafisches Centrum Cuno GmbH & Co. KG
ISBN 978-3-570-15863-0
Printed in Germany

www.cbj-verlag.de
www.drache-kokosnuss.de

Inhalt

Fund am Strand

In den Winterferien machen der kleine Drache Kokosnuss, das Stachelschwein Matilda und der Fressdrachenjunge Oskar mit ihrem Segelboot einen Ausflug an die Nordküste der Dracheninsel. In einer Bucht unterhalb einer Höhle gehen sie vor Anker. Nachdem sie Feuerholz gesammelt haben, angeln sie für das Abendessen ein paar Fische.

»Ziemlich kalt hier«, sagt Matilda und fröstelt.

»Dort hinten«, sagt Oskar, »habe ich vorhin ein Eisbärfell gesehen. Wenn du das trocknest, hast du eine schöne warme Decke.«

Kokosnuss stutzt. »Ein Eisbärfell? Das muss ich sehen!«

Und wirklich: Auf dem Strand liegt ein Eisbärfell, mit Eisbärkopf und allem Drum und Dran. Daneben haben die Wellen eine kleine Eisscholle angespült.

Auch Matilda und Oskar sind herbeigelaufen.

»Ein echter Eisbär!«, sagt Matilda und staunt.

»Hm«, murmelt Kokosnuss nachdenklich. »Er ist bestimmt auf der Eisscholle hierhergetrieben worden.«

In diesem Moment ertönt ein Rülpser.

»Oskar!«, ruft Matilda empört.

»Das war ich nicht!«, sagt der kleine Fressdrache.

»D-das kam von dem Eisbären«, sagt Kokosnuss und schluckt. »Der lebt noch!«

»Stimmt«, sagt Matilda. »Wer rülpst, der lebt. So viel steht fest.«

»Vielleicht hat er etwas Falsches gegessen«, sagt Oskar.

»Der hat überhaupt nichts gegessen«, sagt Matilda.

»Sind Eisbären nicht vom Aussterben bedroht?«, fragt Kokosnuss.

»Der hier bestimmt«, sagt Oskar.

Sie betrachten den Bären genau, und tatsächlich – er atmet noch!

»Wir bringen ihn in unsere Höhle!«, sagt Kokosnuss.

»Wie sollen wir das denn anstellen?«, fragt
Matilda.

»Wir bauen eine Trage«, antwortet Kokosnuss
und flattert los. »Ich hole Material. Passt nur auf,
dass der Eisbär nicht wegläuft!«

»Pfff«, brummt Matilda. »Wie soll der denn
weglaufen?«

Oskar hebt vorsichtig einen Arm des Eisbären.
Als er ihn wieder loslässt, plumpst der Arm kraft-
los auf den Sand.

»Weglaufen wird schwierig«, murmelt der kleine
Fressdrache.

Bald haben die Freunde eine einfache Trage aus
Ästen, Seilen und Segeltuch gebaut. Vorsichtig
heben sie den federleichten Eisbären auf das
Tuch und transportieren ihn zur Höhle hinauf.
Auf dem Weg entweicht dem Bären plötzlich ein
Pups.
Matilda schüttelt den Kopf. »Jetzt pupst der auch
noch!«
»Püh«, flüstern Kokosnuss und Oskar und halten
den Atem an.

»Dafür kann der Bär doch nichts«, sagt Matilda.
»Außerdem ist ein Drachenpups viel schlimmer.«
Die Freunde überlegen, ob ein Drachenpups
mehr riecht als ein Bärenpups.
»Das kommt auf den einzelnen Pups an«, sagt
Kokosnuss. »Es gibt solche und solche Püpse.«
»Und dann gibt's noch die ganz üblen«, sagt
Oskar. »Wenn mein Papa pupst, dann ist die
Hölle los, sage ich euch.«

»Also, wenn meiner pupst«, sagt Kokosnuss, »dann wächst kein Gras mehr. Als wenn's gebrannt hätte!«

»Wenn meine Mama Zwiebeln mit Knoblauch gegessen hat«, sagt Matilda, »dann ist sie danach eine richtige Pupskanone.«

»Hihi«, grinst Oskar. »Pupskanone.«

In der Höhle entzündet Kokosnuss ein Feuer. Matilda und Oskar bereiten ein Lager aus weichem Moos und trockenem Gras. Behutsam legen die Freunde den Eisbären darauf ab.

»Huch!«, flüstert Kokosnuss. »Er hat geschmatzt.«

»Er träumt«, sagt Matilda. »Wenn einer im Schlaf schmatzt, dann träumt er.«

»Bestimmt träumt er von Fisch«, sagt Kokosnuss und hält dem Eisbären einen frischen Fisch unter die Nase.

Der Bär schnuppert.

»Wenn der jetzt aufwacht«, flüstert Matilda, »dann haben wir ein Problem. Eisbären sind gefährlich.«

»Pfff«, brummt Oskar. »Vor dem hab ich doch keine Angst!«
Da öffnet der Bär die Augen.

Der Eisbär

Der Eisbär starrt die Drachen und das Stachelschwein an. Dann schließt er die Augen wieder und murmelt: »Aha, dacht ich's mir doch, ich bin tot.«

Kokosnuss runzelt die Stirn und sagt: »Du bist zwar ziemlich abgemagert, aber tot bist du bestimmt nicht.«

Ohne die Augen zu öffnen, sagt der Eisbär: »Ich habe gerade zwei Drachen gesehen. Da muss ich ja wohl tot sein. Drachen gibt es in der Wirklichkeit nicht.«

»Und was ist mit Stachelschweinen?«, fragt Matilda.

»Das war eine optische Täuschung«, sagt der Eisbär.

»Unverschämtheit!«, ruft Matilda empört. »Ich bin doch keine optische Täuschung!«

Sie zieht einen ihrer Stacheln heraus und pikst den Bären.

»Autsch!«, schreit der Bär und reißt erschrocken die Augen auf. »Das tut doch weh!«
»Wenn ich eine optische Täuschung bin, dann ist mein Stachel ja wohl auch eine, oder?«
Der Eisbär blickt verwirrt auf den Stachel und auf Matilda.
»Wir Drachen sind jedenfalls echt«, sagt Kokosnuss und speit einen Feuerstrahl in die Luft.

»Hilfe!«, schreit der Bär und drückt sich an die Höhlenwand.
»Für einen Eisbären«, sagt Kokosnuss, »bist du ganz schön schreckhaft.«

»I-ich bin ja auch gerade etwas schwächlich ...
seht nur: Mein Arm ist gebrochen.«
»Zeig mal!«, sagt Matilda und untersucht den
Arm.
»V-vorsichtig, das tut schrecklich weh!«, fleht
der Eisbär.
»Höchstens verstaucht«, brummt Matilda.
»Aua, aua, aua!«, jammert der Eisbär mit
schmerzverzerrtem Maul.
»Wie ist denn das passiert?«, fragt Kokosnuss.

Der Blick des Eisbären verfinstert sich, als
er antwortet: »Das waren Keule und Beule.«
»Keule und Beule?«, wiederholt Kokosnuss.
»Zwei Eisbären, die anderen die Beute
wegnehmen – hinterhältige Übelbären
sind das! Die haben mich überfallen
und beraubt und zum Schluss haben
sie mich einfach auf eine Eisscholle
gestoßen!«

»Und dann bist du hilflos aufs Meer hinausge-
trieben«, sagt Kokosnuss.
Der Eisbär seufzt, reibt seinen Arm und wirft
einen verstohlenen Blick auf den Fisch-Eimer, der
neben seinem Lager steht. Kokosnuss holt einen
Fisch hervor. Mit einem einzigen Happs schlingt
der Bär den Fisch hinunter.
Er lugt zu dem Eimer und sagt: »Da sind ja noch
mehr Fische drin.«
Kokosnuss, Matilda und Oskar blicken einander
an.

»Na schön«, sagt der kleine Feuerdrache und schiebt den Eimer zu dem Eisbären hin. »Du musst ja wieder zu Kräften kommen.«

Da packt der Bär den Eimer und futtert ihn in Nullkommanix leer.

»Also«, sagt Kokosnuss verblüfft, »dann müssen wir noch einmal eine Runde angeln gehen.«

»Gute Idee!«, sagt der Eisbär und stößt einen fröhlichen Rülpser aus.

Bald kommen Kokosnuss und Oskar mit frischem Fisch in die Höhle zurück. Matilda hat dem Eisbären inzwischen einen Arm-verband angelegt.

Gierig macht sich der Bär über den Fang her. Ein Fisch nach dem anderen verschwindet in seinem Maul.

»Du hast ja wirklich großen Appetit«, sagt Matilda.

»Habe auch wochenlang nichts zu futtern gehabt«, sagt der Eisbär und verputzt einen großen Fisch.

»Ähm, ja«, sagt Kokosnuss. »Vielleicht sollten wir uns einmal vorstellen. Also, ich bin Kokosnuss und dies sind Matilda und Oskar.«

Schmatzend sagt der Eisbär: »Freut mich, ich bin der Björn.«

»Kommst du vom Nordpol?«, fragt Kokosnuss.

Da leuchten die Augen des Eisbären. »Ja, der Nordpol ist meine Heimat. Er ist der schönste Ort der Welt!«

»Da gibt's doch bloß Eis«, sagt Oskar.

Björn wirft Oskar einen zornigen Blick zu und brummt: »Am Nordpol gibt es die tollsten Eisberge, die hellste Sonne, die dunkelsten Nächte, den glitzerndsten Sternenhimmel, die schönsten Polarlichter und den weitesten Himmel. Am Nordpol ist es immer herrlich kalt, es gibt Wale, Fische, Polarfüchse, Schneehasen und das ganze Programm, und das Beste: Am Nordpol gibt es das Alleralleraller leckerste auf der ganzen Welt, nämlich Robben, jawohl! Wenn du einmal eine Robbe zum Frühstück gefressen hast, dann willst du nie wieder etwas anderes zum Frühstück!«

»Auch kein Frühstücksei?«, fragt Matilda.

»Eine frische Robbe schmeckt viel besser als ein Frühstücksei!«

»Hm«, überlegt Kokosnuss. »Aber wenn diese beiden anderen Eisbären – wie hießen die noch gleich ... Keule und Beule –, wenn die dir deine Robbe vor der Nase wegschnappen, dann hast du kein Frühstück mehr.«

»Dann suche ich mir eben eine andere Robbe«, erwidert Björn.

»Also, wenn mir jemand mein Essen wegnehmen will«, sagt Oskar empört, »dann kann er aber was erleben!«

»A-aber Keule und Beule sind unheimlich stark«, sagt Björn.

»Du könntest ein paar Freunde zusammentrommeln und dich gegen sie wehren«, schlägt Kokosnuss vor.

Björn lässt die Schultern sinken. »Wir Eisbären haben keine Freunde. Wir sind nämlich Einzelgänger, außer vielleicht Keule und Beule. Aber das ist alles sowieso egal.« Traurig fügt er hinzu: »Den Nordpol sehe ich ja doch nie wieder.«

»Wir könnten dich zurückbringen«, sagt Kokosnuss.

»Ha!«, ruft Matilda. »Das war ja klar! Als wäre der Winter auf der Dracheninsel nicht schon kalt genug!«

»Hier ist es doch nicht kalt«, sagt der Eisbär. »Hier ist es pipiwarm.«

»Für uns ist es kalt«, grummelt Matilda.

»Wie soll Björn denn sonst nach Hause kommen?«, fragt Kokosnuss.

»Da hat Kokosnuss auch wieder recht«, sagt Oskar.

»Hmpf, stimmt«, sagt Matilda.

»Wir segeln mit Banane!«, sagt Kokosnuss.

»Banane?«, fragt Björn. »Was ist das denn nun wieder?«

»Unser Boot!«, antwortet Kokosnuss.

Reise zum Nordpol

Das kleine Boot Banane liegt in der Bucht vor Anker. Als ein paar Tage später am Morgen eine leichte Brise aufkommt, gehen Kokosnuss, Matilda, Oskar und Björn an Bord. Björn sieht langsam wieder wie ein stattlicher Eisbär aus, nachdem er tagelang eimerweise Fische gefressen hat. Auch sein Arm ist verheilt.
Noch nie ist Björn auf einem Segelboot gefahren. »Warum heißt euer Boot eigentlich Banane?«, fragt er.
»Früher«, erklärt Kokosnuss, »war es gelb wie eine Banane, aber mit der Zeit ist die Farbe abgeblättert. Es segelt trotzdem genauso gut wie am Anfang!«

Viele Tage lang segeln die Freunde in Richtung Norden. Manchmal, wenn ein kalter Wind weht, wickeln sich Kokosnuss, Matilda und Oskar in warme Decken ein. Björn aber friert nicht, denn

unter seinem Fell hat er eine dicke Fettschicht,
die ihn auch vor der größten Kälte schützt.
Hoch im Norden scheint die Sonne nur noch
kurz am Tag, und auch die Nächte sind kurz.

»Jetzt ist die Zeit der Dämmerung«, sagt Björn.
»Bald sind wir am Nordpol.«[1]
Am nächsten Tag ruft Kokosnuss: »Eisberg in
Sicht!«
Nicht lange, und das kleine Boot muss sich
seinen Weg zwischen mächtigen Eisbergen und
meterdicken Eisschollen durch das kaltblaue
Polarwasser bahnen. Kokosnuss, Matilda und

[1] Am Nordpol gibt es nicht den Wechsel von Tag und Nacht.
Mehrere Monate lang geht die Sonne nicht unter, dann folgen
einige Wochen Abenddämmerung, dann die mehrmonatige
Polarnacht und danach einige Wochen lang Morgendämmerung.

Oskar staunen. Unter einem endlosen gelb und rot leuchtenden Himmel schimmert eine riesige, schneebedeckte Eisfläche. Hier und da schauen braungrüne Landstriche hervor, auf denen Flechten und Gräser wachsen. Ganz still ist es. Manchmal wirbelt der Wind eine Wolke glitzernden Eisstaubs empor.

»Ist es nicht schön hier?«, jauchzt Björn. »Früher, als ich klein war, war es noch viel schöner. Es gab mehr Eis und unzählige Robben!«

»Wo ist denn der Nordpol?«, fragt Oskar.

»Der, öh, also ...«, brummt Björn und kratzt sich am Kopf.

Da meldet sich Matilda: »Der Nordpol ist dort, wo der Polarstern ziemlich genau über einem steht. Hab ich mal gelesen.«

Kokosnuss, Oskar und Björn blicken nach oben.

»In der Nacht, Jungs!«, sagt Matilda und schüttelt den Kopf. »Und bis zur Polarnacht dauert es noch Wochen.«

Plötzlich hält Björn seine Nase in den Wind und schnüffelt.

»Eine Robbe!«, flüstert er. »Nicht weit von hier.
Eine ziemlich junge Robbe. Zartes, saftiges
Fleisch! Boah ey, Hauptgewinn!«
»Ich sehe keine Robbe«, sagt Matilda.
Björn zeigt nach Norden. »Ungefähr eine halbe
Tagesreise von hier.«
»Das nenne ich aber einen guten Riecher!«, sagt
Oskar.
»Höhö«, grinst Björn und tippt auf seine Nase.
»Wir Eisbären haben die besten Schnüffel-
nasen!«[2]
Plötzlich tippt er sich an die Stirn und sagt: »Wir
Eisbären haben auch ziemlich gute Ideen. Und
nun habe ich gerade eine gute Idee: Ihr könntet
die Robbe ablenken, während ich unter Wasser

[2] Tatsächlich können Eisbären ihre Beute schon von Weitem wittern, sogar
durch dickes Eis hindurch (eine halbe Tagesreise ist aber vielleicht ein
wenig übertrieben).

nahe an sie herantauche. Solange sie auf dem Eis bleibt, kann ich sie nämlich leicht erwischen.«

Kokosnuss, Matilda und Oskar blicken einander ratlos an.

»Eigentlich«, sagt Kokosnuss, »sind wir keine Robbenjäger.«

»Ihr müsstet sie nur etwas ablenken. Den Rest erledige ich dann.«

»Hm, aber ...«, murmelt der kleine Feuerdrache.

»Prima!«, ruft Björn freudig. »Ahoi, volle Pulle voraus!«

Der Eisbär schnappt sich ein Seil, springt ins Wasser und schwimmt, Banane im Schlepptau, zügig in Richtung Norden.

Die kleine Robbe Rudi

»Kokosnuss!«, sagt Matilda vorwurfsvoll.
»Wieso hast du denn nicht Nein gesagt? Jetzt helfen wir auch noch bei der Robbenjagd!«
»Du hättest doch auch Nein sagen können!«, entgegnet Kokosnuss.
»Ich bin nicht so gut im Neinsagen«, sagt Matilda.
»Ich auch nicht«, sagt Oskar.
»Seht ihr«, sagt Kokosnuss. »Ich auch nicht.«
So sitzen die drei Freunde verdrossen auf ihrem Boot, bis Björn nach einiger Zeit anhält und auf einen winzigen dunklen Punkt in der Ferne zeigt.
»Dort ist sie«, flüstert er. »Genau wie ich dachte: Sie ruht sich auf dem Eis aus. Am besten, ihr segelt zu ihr und verwickelt sie in ein Gespräch. Ich gehe jetzt auf Tauchstation.«
Björn holt tief Luft und ist schon im eisigen Wasser verschwunden.
»Björn, warte!«, ruft Kokosnuss. Doch vergebens, der Eisbär hört den kleinen Drachen nicht mehr.

Der Wind schiebt Banane weiter nach Norden.
Bald können die Freunde die Robbe genau
erkennen. Sie liegt ganz nah am Ufer.
»Guckt mal«, flüstert Matilda, »wie niedlich die
ist!«
»Ich fliege zu ihr hin und warne sie«, sagt
Kokosnuss.

Als die Robbe den heranfliegenden Drachen
bemerkt, blickt sie neugierig auf.
Noch während der Landung ruft Kokosnuss:
»Achtung, kleine Robbe! Es kommt jeden
Moment ein Eisbär und will dich fangen!«

Die Robbe stutzt. »Ein Eisbär? Ich sehe keinen Eisbär. Aber einen Drachen sehe ich. Bist du ein Tourist?«

Kokosnuss rollt mit den Augen. »Nein, bin ich nicht! Beeil dich, er kann jeden Moment ...«

Da schießt Björn schon aus dem Wasser und packt die Robbe mit seiner großen Tatze.

»Ha!«, ruft der Eisbär triumphierend. »Ich hab dich, ich hab dich!«

»Hgrgl«, stößt die Robbe hervor. »Stopp! Ich heiße Rudi!«

»Ja, und? Ich heiße Björn.«

»Hallo, Björn! Ich, äh, ich stehe quasi unter Artenschutz. Du darfst mich gar nicht fressen!«[3]

»Dass ich nicht lache!«, sagt Björn. »Wir Eisbären sind richtig vom Aussterben bedroht!«

»Oh, e-echt?«, stottert Rudi, die Robbe. »A-aber ich bin, äh, ich bin schwanger!«

»Wie jetzt?«

---

[3] Da flunkert die Robbe Rudi. Die Jagd auf Robben ist zwar in vielen Teilen der Welt verboten, aber das Jagdverbot gilt natürlich nur für Menschen.

»I-ich bin schwanger, ich kriege bald eine kleine Baby-Robbe.«

»Aber du heißt Rudi. Wie kannst du da schwanger sein?«

»U-ups«, murmelt Rudi. »Ja, äh, stimmt, so richtig schwanger bin ich natürlich nicht. A-aber ich könnte ja noch Vater werden, und wenn du mich frisst, dann geht das nicht mehr, dann gibt es weniger Robben, weil ich ja keine Kinder zeugen kann, verstehst du?«

Björn versteht nur Bahnhof.

»Er hat ein bisschen recht«, ruft Matilda.

Inzwischen sind Matilda und Oskar mit Banane eingetroffen.

»Siehst du!«, sagt Rudi.

»Hmpf«, grummelt Björn. »Aber ich muss doch irgendetwas fressen.«

»Wir könnten Fische angeln«, sagt Kokosnuss.

»Fisch!«, brummt der Eisbär. »Ich habe auf der Dracheninsel so viel Fisch gegessen, der kommt mir schon zu den Ohren heraus.«

Da ruft Oskar: »Wie wär's mit Haferbrei?«

»Haferbrei?«, wiederholt Björn und lässt vor
Schreck die Robbe los.
Blitzschnell gleitet Rudi ins Wasser hinab.
»Heda!«, ruft Björn und springt hinterher.
Kurz darauf taucht der Eisbär wieder auf und
japst.
»Die ist weg, so etwas Dummes!«

Ein Schneesturm und ein Iglu

Während Matilda und Oskar Banane für die Rückreise vorbereiten, springt Kokosnuss auf eine Eisscholle und wirft den Angelhaken aus. Björn aber sitzt auf dem Eis und ist schlecht gelaunt.

»Haferbrei«, murmelt er. »Hab ich ja noch nie gehört, dass ein Eisbär Haferbrei frisst. Ich glaub, die Maus grunzt!«

Da hören Kokosnuss und Björn eine Stimme: »Hallo, Björn! Wieso hast du mich vorhin eigentlich freigelassen?«

Björn wendet sich überrascht um. Aus dem Wasser schaut die Robbe Rudi heraus.

»Hmpf«, grummelt Björn zornig. »Das war, weil
ich … weil ich, ehm, großzügig bin, jawohl!
Sehr, sehr, sehr großzügig!«

»Alle Achtung, Björn!«, sagt Rudi. »Das war
sehr nobel von dir. Wenn ich dir einmal einen
Gefallen tun kann, sag einfach Bescheid.«
Noch ehe der Eisbär etwas erwidern kann, ist
Rudi auch schon wieder untergetaucht.

»Pff, nobel!«, brummt Björn. »Bescheid soll ich
sagen, pff! Ich wüsste schon einen Gefallen. Den
wird diese Robbe mir aber bestimmt nicht tun.«

»Was hast du gesagt?«, fragt Kokosnuss und zieht
einen dicken Fisch aus dem Wasser.

»Ach, nichts«, antwortet der Eisbär. »Lasst uns
Fisch fressen!«

Während der Fisch über dem Lagerfeuer gegrillt
wird, ziehen in der Ferne dunkle Wolken auf.
Ein Windhauch fegt durch das Feuer. Die Wolken
nähern sich schnell, der Wind wird stärker, und
bald peitscht er scharf über die Eisfläche und
wirbelt den Schnee auf.

»Wir müssen uns ein Schneeloch graben«, sagt
Björn. »Am besten dort hinten, an der Schnee-
wehe.«
Die Freunde vertäuen Banane fest am Ufer. Dann
packen sie flink einen Seesack mit Ausrüstung
und folgen Björn über das Eis.
Der Wind ist zu einem Sturm angewachsen. Sie
müssen gegen dichtes Schneetreiben ankämpfen.

Gerade will Björn anfangen zu graben, als Oskar
etwas entdeckt.

»Hier steht so ein komisches Haus aus Schnee!«,
ruft der kleine Fressdrache gegen den Sturm an.

»Ein Iglu!«, ruft Kokosnuss.[4]

[4] Ein Iglu ist eine von Inuit-Jägern in wenigen Stunden gebaute kleine,
kuppelförmige Schneehöhle. Während der Jagd nutzen die Inuit das Iglu
als Unterschlupf, verlassen es aber bald wieder.

Alle vier kriechen durch den schmalen Eingang des Iglus. Innen sind sie vor dem Schneesturm geschützt. Kokosnuss, Matilda und Oskar breiten ihre Decken aus, als Björn plötzlich ruft: »Ich werd zum Elch! Hier liegt Walfleisch mit Speck! Heute ist mein Glückstag!«

Genüsslich verschlingt der Eisbär das fette Walfleisch, bis nur noch zwei sauber abgenagte Knochen übrig sind.

Plötzlich stutzt Kokosnuss. Vor ihm auf dem Fußboden, sieht er den Abdruck einer Pfote.

»Seht mal!«, sagt der kleine Drache. »Das sind Eisbärspuren!«

»Nur größer als Björns«, sagt Matilda.

»Größer als meine?«, fragt Björn und setzt seine Pfote in die Spur.

Tatsächlich, sie ist von einem größeren Eisbären.

»Ganz schöne Quadratlatschen«, sagt Oskar.

Björn blickt sich erschrocken um und flüstert: »Dieses Iglu muss die Vorratskammer von Keule und Beule sein. Wir sollten uns schleunigst verpieseln!«

»Bei dem Schneesturm gehe ich keinen Schritt hinaus«, sagt Matilda.

»Und Keule und Beule haben sich bestimmt schon längst einen anderen Unterschlupf gesucht«, sagt Kokosnuss.

So beschließen sie, erst einmal das Ende des Schneesturmes abzuwarten. Kokosnuss, Matilda und Oskar wickeln sich in die Decken ein und sind im Nu eingeschlafen. Björn aber bleibt wach. Er spitzt die Ohren. Wer weiß, vielleicht sind Keule und Beule in der Nähe und schleichen sich an. Doch so sehr Björn lauscht, er hört nicht mehr als das Pfeifen des Sturmes. So fällt auch er nach einer Weile in den Schlaf.

Keule und Beule

Als Kokosnuss aufwacht, hat sich der Schneesturm gelegt. Der kleine Drache schaut zum Iglu hinaus. Still und friedlich liegt das arktische Eis vor ihm. Plötzlich stutzt er. Dort hinten bewegt sich etwas. Zwei dunkle Punkte kommen auf das Iglu zu. Kokosnuss kneift die Augen zusammen. Zwei Eisbären! Schnell weckt er die anderen. Björn hält seine Nase aus dem Iglu und schnüffelt. Erschrocken flüstert der Eisbär: »Das sind sie! Bloß weg hier!«

»Björn!«, sagt Kokosnuss und hält den Bären zurück. »Die beiden würden dich doch sehen. Hier gibt es nirgendwo eine Deckung.«

»Sei ein Bär und stell dich!«, sagt Oskar.

»Macht ihr Witze?!«, erwidert Björn. »Keule und Beule kennen keine Gnade! Das sind Übelbären der übelsten Sorte!«

»Diese Hupfdohlen haust du doch aus den Socken«, sagt Oskar.

»Du musst dir einmal Respekt verschaffen!«, sagt
Kokosnuss.
»Ihr kennt die nicht. Wir sollten schnell von hier
verschwinden!«
»Ich habe eine Idee«, sagt Oskar. »Wir gehen da
jetzt hinaus, und dann kriegen diese beiden

Gummibärchen aber so etwas von auf die
Mütze, dass sie ›Alle meine Entchen‹ im
Quadrat singen!«

»Oskar!«, sagt Matilda. »Sei doch einmal ernst!
Wenn die beiden so gefährlich sind, wie Björn
sagt, dann können wir die nicht besiegen.«

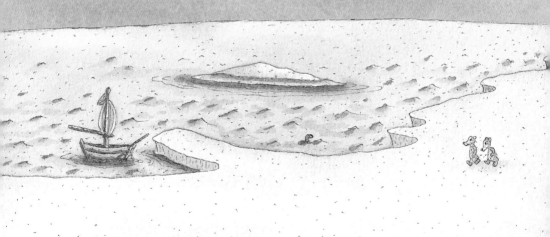

»Ich Unglücksbär!«, jammert Björn. »Wenn ich doch nur einen großen, starken Freund hätte!«

»Hm«, murmelt Kokosnuss. »Drei kleine Freunde sind vielleicht auch nicht so übel. Ich habe eine Idee, aber es ist riskant.«

»Riskant ist genau das Richtige!«, sagt Oskar.

»Also«, flüstert der kleine Feuerdrache und erklärt den anderen seinen Plan, wie sie Keule und Beule in die Flucht schlagen könnten.

Björn schluckt. »D-das sch-schaffe ich nicht.«

»Das schaffst du!«, sagt Matilda.

»Das kriegst du locker hin«, sagt Oskar.

»Einer für alle, alle für einen«, sagt Kokosnuss.

»Ehm, h-heißt das, wir s-sind Freunde?«, fragt Björn, und mit einem Mal erscheint ein kleines Leuchten in seinen Augen.

»Genau«, sagt Kokosnuss. »Jetzt aber raus mit dir! Versuch, die beiden aufzuhalten, bis wir hier alles vorbereitet haben!«

»A-aufhalten? Wie das denn?«, fragt Björn verzweifelt.

»Quassel ihnen halt die Ohren voll!«, sagt Oskar.

»A-aber ...« Der Eisbär schluckt. Doch er fasst
sich ein Herz und kriecht mit zitternden Knien
aus dem Iglu hinaus.
Flink kratzt Kokosnuss ein Loch in die Iglu-
Mauer. Oskar formt derweil die Seekarte zu
einem Sprachrohr.

Matilda zupft sich ein paar Stacheln aus und
fragt: »Reichen die?«
»Vielleicht noch ein paar mehr«, sagt Kokosnuss.
»Pfff, vielleicht noch ein paar mehr«, brummt
Matilda. »Ein paar Stacheln will ich aber noch
behalten, wenn's recht ist.«

Währenddessen ist Björn vor das Iglu getreten. Tatsächlich, die großen Eisbären, die geradewegs auf das Iglu zukommen, sind Keule und Beule! Als die beiden Björn erblicken, bleiben sie abrupt stehen. Was macht dieser Schwächling vor ihrem Iglu?

»St-stehen bleiben!«, ruft Björn.

Die beiden Eisbären blicken einander an.

»Wir stehen schon!«, sagt Keule.

Drohend fügt Beule hinzu: »Aber nicht mehr lange.«

»Darf man fragen, was du in unserem Iglu zu suchen hast?«

»M-mein Freund und ich«, antwortet Björn, »w-wir h-haben im Schneesturm einen Unterschlupf gesucht.«

»Dein Freund, soso«, sagt Keule. »Und wo ist dein Freund?«

»Er, äh, er hatte Hunger und frisst gerade Walfleisch im Iglu.«

Keule und Beule trauen ihren Ohren nicht.

»Er macht was?!«, rufen sie gleichzeitig.

»Er hatte Hunger und frisst gerade Walfleisch.«
Da funkeln die Augen der beiden Eisbären böse.
Sie holen tief Luft und wollen gerade auf Björn
losstürmen, als vom Wasser her ein Geräusch
ertönt, als würde eine Robbe mit ihren Flossen
klatschen.

Der fürchterliche Feuerstachelbrüller

Die beiden Eisbären halten inne. In einiger Entfernung sehen sie auf einer Eisscholle eine kleine Robbe liegen. Sie klatscht mit den Flossen Beifall.

»Bravo!«, ruft die Robbe. »Ganz toll! Zwei gegen einen, sehr mutig!«

»Rudi?!«, ruft Björn verblüfft.

Verdutzt fragt Keule: »Du kennst die Robbe?«

»Na klar kennt er mich!«, ruft Rudi herüber. »Er hat mich gefangen und wieder freigelassen, aus Großzügigkeit.«

Ungläubig blicken Keule und Beule auf Björn. Dieser räuspert sich und sagt: »Nun ja, ich, äh...«

»Er war nämlich schon satt«, ruft Rudi, »von den vielen Robben, die er vorher gefressen hat. Eins

muss man Björn lassen: Er ist der beste Robben-jäger weit und breit. Das geht zack – und er hat dich bei den Flossen. Da kannst du gar nichts machen. Und Granate kann der, das glaubt ihr nicht. Einmal habe ich gesehen, wie er einen riesigen Moschus-Ochsen mit einem einzigen Granatenschlag niedergestreckt hat!«

»Granate?«, fragt Beule.

»D-die Robbe meint bestimmt Karate«, sagt Björn. »Und sie übertreibt ein wenig, ehrlich gesagt.«

»Genau, Karate meinte ich!«, ruft Rudi. »Ich an eurer Stelle würde mich ganz schnell verdünni-sieren, bevor der Björn Karate macht!«

Grimmig starren Keule und Beule erst zu Rudi und dann zu Björn.

»Karate kannst du, soso«, zischt Keule böse. »Wollen wir doch mal sehen, wie gut du Karate kannst.«

»Halt! Stopp!«, ruft Björn. »Zwei gegen einen ist feige!«

»Wieso einer?!«, sagt Beule. »In dem Iglu ist doch dein Freund.«

»Der gerade unser Walfleisch frisst«, brummt
Keule wütend.

»Ich würde nicht näher kommen!«, ruft Björn.

»Mein Freund versteht keinen Spaß. Er ist ein ...
ein ... ein fürchterlicher, ein, äh, fürchterlicher,
ehm, ein richtiger Fürchterlicher!«

»Ein fürchterlicher was?«, fragt Keule.

»E-er ist ein g-gefährlicher, ehm ... Feuerstachel-
brüller!«

»Wie?«, fragt Beule. »Nie gehört.«

»So jemanden gibt's doch gar nicht!«, sagt Keule.

»Er kann fürchterlich brüllen, mit spitzen Stacheln
schießen und Feuer speien!«, sagt Björn.

Da brechen Keule und Beule in Gelächter aus.
Sogar Rudi guckt etwas ungläubig von seiner
Eisscholle herüber.

In diesem Augenblick dringt ein fürchterliches Gebrüll aus dem Iglu. Den beiden Eisbären bleibt das Lachen im Halse stecken.

»S-seht ihr!«, sagt Björn. »Fürchterliches Gebrüll.«

Keule verzieht das Maul und brummt: »Brüllen bedeutet gar nichts! Eisbären, die brüllen, beißen nicht. So heißt es doch.«

Da schießen zwei lange Stacheln aus dem Iglu heraus. Einer bleibt in Keules Bein stecken und einer in Beules Arm.

»Aua!«, schreien die Bären und ziehen sich die Stacheln heraus. Zum Glück haben sie ein dickes Fell.

»S-seht ihr!«, sagt Björn. »Er schießt mit spitzen Stacheln.«

Zum ersten Mal bekommen Keule und Beule ein wenig Angst. Auch Rudi ist ein Stückchen zurückgerobbt. Und als plötzlich aus dem Iglu ein Feuerstrahl schießt und sich zugleich wieder das fürchterliche Brüllen erhebt, da stolpern die beiden Eisbären vor Schreck ein Stück rückwärts.

Rudi ist blitzschnell ins Meer gesprungen und schaut vorsichtig aus dem Wasser.

»Seht ihr!«, ruft Björn. »Er speit Feuer!«

Keule schluckt und stottert: »K-könnten w-wir wenigstens u-unser Walfleisch m-mitnehmen?«

Da kommen die beiden Walknochen aus dem Iglu geflogen und landen vor den Eisbären im Schnee.

Keule und Beule starren auf die abgenagten Knochen, beißen die Zähne zusammen und brummen zerknirscht: »Danke.«

Darauf erhebt sich ein noch fürchterlicheres Gebrüll, und Feuer und Stacheln schießen aus dem Iglu. Die beiden Eisbären zucken erschrocken zusammen.

»Äh, wenn w-wir jetzt gehen«, fragt Keule, »tut ihr uns dann nichts?«

Wie zur Antwort ist vom Inneren der Iglu-Wand ein Kratzen zu hören.

»Einen Moment«, sagt Björn mit wichtiger
Miene. »Mein Freund, der Feuerstachelbrüller,
will uns etwas mitteilen.«
Björn steckt den Kopf in den Eingang. Kokosnuss
flüstert ihm leise etwas zu.
Björn kichert, zieht seinen Kopf zurück und ver-
kündet: »Wir werden euch verschonen, wenn ihr
uns regelmäßig guten Speck bringt. Öhm, sagen
wir, einmal im Monat schön viel fetten Speck.«
»Einmal im Monat?«, wiederholt Keule fassungs-
los.
»Schön viel?«, fragt Beule ungläubig. »Was heißt
›schön viel‹?«
»So viel«, ruft Rudi herüber, »dass Björn einen
Monat lang keine Robben jagen muss!«

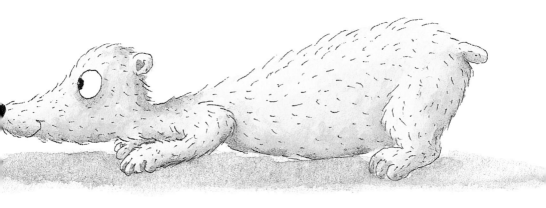

Grimmig starren Keule und Beule zu der kleinen Robbe hinüber.

»Genau!«, sagt Björn. »Von der Menge her kommt das hin. Sonst noch Fragen?«

Die beiden Eisbären blicken ängstlich auf Björn und das Iglu.

»U-und d-du kannst wirklich Karate?«, fragt Keule.

»Ich habe den schwarzen Gürtel gemacht«, antwortet Björn, »nachdem ihr mich beim letzten Mal verprügelt habt!«

Schuldbewusst senken Keule und Beule die Köpfe.

»Versprecht ihr, dass ihr anderen Eisbären nie wieder die Beute stehlt?«

»Versprochen!«, antworten Keule und Beule.

Da meldet sich Rudi: »Und Robbenjagd ist ab heute verboten!«

Alle drei Eisbären blicken grimmig zu der kleinen Robbe hinüber.

»Du hast wohl nicht alle Flossen im Schrank!«, ruft Keule.

»Das wär ja noch schöner!«, ruft Beule.

»Ich glaub, mein Schwein pfeift!«, ruft Björn.

»I-ist ja schon gut«, stottert Rudi und taucht schnell unter.

Björn aber wendet sich an Keule und Beule: »Ihr dürft jetzt gehen. Und vergesst nicht: einmal im Monat Speckschwarte!«

Aus dem Iglu schießt wieder ein Feuerstrahl, begleitet von einem fürchterlichen Brüller.

»G-geht klar«, sagen Keule und Beule, machen kehrt und laufen davon, so schnell ihre Beine sie tragen.

Abschied

Kaum sind Keule und Beule außer Sichtweite, schlüpfen Kokosnuss, Matilda und Oskar aus dem Iglu und beglückwünschen Björn.

»Das war ein toller Auftritt!«, sagt Kokosnuss und boxt Björn anerkennend aufs Fell.

»Die beiden werden dir jedenfalls nichts mehr tun«, sagt Matilda.

»Du bist ein prima Kumpel-Bär!«, sagt Oskar. Wenn Björn kein Eisbär wäre, so würde er jetzt rot werden vor Freude.

»Zuerst haben mir ganz schön die Knie gezittert«, sagt der Eisbär. »Aber als Oskar so fürchterlich gebrüllt hat, dachte ich, das klappt!«

Oskar schwingt die Seekarte und sagt: »Mit Sprachrohr kann ich brüllen wie ein Großer!«

»Aha!«, ruft Rudi herüber. Die kleine Robbe ist wieder aufgetaucht. »Hab ich's mir doch gedacht! Das war gar kein großer Feuerstachel-brüller. Das waren die drei Touristen!«

»Wir sind keine Touristen!«, ruft Kokosnuss
zurück.
»Das sind meine Freunde!«, sagt Björn
stolz.

Einige Zeit später sind Kokosnuss, Matilda
und Oskar mit Banane wieder auf hoher
See, diesmal nach Süden in Richtung

Dracheninsel. Björn und Rudi begleiten sie ein
Stück, der Eisbär auf der einen und die Robbe
auf der anderen Seite von Banane. Rudi passt
genau auf, dass er Björn nicht zu nahe kommt,
denn auch wenn die beiden einander kennen-
gelernt haben: Robbe bleibt Robbe, Eisbär
bleibt Eisbär, und sicher ist sicher.

Eine ganze Zeit noch führt Björn ein angenehmes
Leben. Das Iglu bietet ihm Schutz vor Wind und
Wetter. Niemand wagt sich ihm zu nähern, denn
alle haben Angst vor dem fürchterlichen Feuerstachelbrüller, der gleichzeitig Feuer speit, mit
Stacheln schießt und brüllt. Das Beste aber ist,
dass Keule und Beule ihm jeden Monat fetten
Speck vorbeibringen. Die beiden Übelbären sind
gar nicht mehr so übel, denn für Übeltaten haben
sie keine Zeit mehr. Sie müssen dauernd jagen,
um genug zu fressen für sich und Björn zu
haben.

Bald jedoch beginnen das Iglu und das Eis drum-
herum in der warmen Sonne zu schmelzen, und
Björn zieht weiter nach Norden, wo es noch Eis
gibt. Dort muss er wieder selbst auf Nahrungs-
suche gehen.

Foto: privat

Ingo Siegner, 1965 geboren, wuchs in Großburgwedel auf.
Schon als Kind erfand er gerne Geschichten. Später brachte
er sich das Zeichnen bei. Mit seinen Büchern vom kleinen
Drachen Kokosnuss, die in viele Sprachen übersetzt sind,
eroberte er auf Anhieb die Herzen der jungen LeserInnen.
Ingo Siegner lebt als Autor und Illustrator in Hannover.

Hier kannst Du ankreuzen, welche Geschichten vom kleinen Drachen Kokosnuss Du schon kennst:

☐ Der kleine Drache Kokosnuss (978-3-570-12683-7)

☐ Der kleine Drache Kokosnuss feiert Weihnachten
(978-3-570-12765-0)

☐ Der kleine Drache Kokosnuss kommt in die Schule
(978-3-570-12716-2)

☐ Der kleine Drache Kokosnuss – Hab keine Angst!
(978-3-570-12806-0)

☐ Der kleine Drache Kokosnuss und der große Zauberer
(978-3-570-12807-7)

☐ Der kleine Drache Kokosnuss und der schwarze Ritter
(978-3-570-12808-4)

☐ Der kleine Drache Kokosnuss und seine Abenteuer
(978-3-570-13075-9) *gekürzte Fassung des Bilderbuchs »Der kleine Drache Kokosnuss« (978-3-570-12683-7)*

☐ Der kleine Drache Kokosnuss – Schulfest auf dem Feuerfelsen
(978-3-570-12941-8)

☐ Der kleine Drache Kokosnuss besucht den Weihnachtsmann
(978-3-570-13202-9) *gekürzte Fassung des Buchs »Der kleine Drache Kokosnuss feiert Weihnachten« (978-3-570-12765-0)*

☐ Der kleine Drache Kokosnuss und die Wetterhexe
(978-3-570-12942-5)

☐ Der kleine Drache Kokosnuss reist um die Welt
(978-3-570-13038-4)

☐ Der kleine Drache Kokosnuss und die wilden Piraten
(978-3-570-13437-5)